Karl Friedrich

Karl Friedrich Schinkel

Karl Friedrich Schinkel

teNeues

Editor in chief:
Paco Asensio

Archipockets coordination:
Aurora Cuito

Original texts:
Llorenç Bonet

Photographs:
Miquel Tres, Stiftung Preußische Schlösser
und Gärten (pages 58, 59, 62, 63)

English translation:
William Bain

German translation:
Martin Fischer

French translation:
Agencia Lingo Sense

Italian translation:
Raffaella Coia (Books Factory *Translations*)

Proofreading:
Sabine Wagner

Graphic design / Layout:
Emma Termes Parera and Soti Mas-Bagà

Published worldwide by teNeues Publishing Group
(except Spain, Portugal and South-America):

teNeues Book Division
Kaistraße 18, 40221 Düsseldorf, Germany
Tel.: 0049-(0)211-994597-0
Fax: 0049-(0)211-994597-40

teNeues Publishing Company
16 West 22nd Street, New York, N.Y., 10010, USA
Tel.: 001-212-627-9090
Fax: 001-212-627-9511

teNeues Publishing UK Ltd.
P.O. Box 402
West Byfleet
KT14 7ZF
Tel.: 0044-1932-403509
Fax: 0044-1932-403514

teNeues France S.A.R.L.
4, rue de Valence
75005 Paris, France
Tel.: 0033-1-5576-6205
Fax: 0033-1-5576-6419

www.teneues.com

Editorial project:

© 2003 LOFT Publications
Via Laietana, 32 4o Of. 92
08003 Barcelona, Spain
Tel.: 0034 932 688 088
Fax: 0034 932 687 073
e-mail: loft@loftpublications.com
www.loftpublications.com

Printed by:
Gráfica Domingo SA, Spain

September 2003

Bibliographic information published by Die Deutsche Bibliothek
Die Deutsche Bibliothek lists this publication in the Deutsche Nationalbibliogr⋯
detailed bibliographic data is available in the Internet at http://dnb.ddb.de.

ISBN: 3-8238-4533-0

Mies van der Rohe always expressed great admiration for Schinkel, not only because he was one of the most important architects in the German Enlightment but also because he presented a sensibility that was very similar to that of the pioneer of modern architecture. Karl Friedrich Schinkel (1781–1841) received a wide-ranging education and, as was customary at the time, he traveled to Italy and France between 1803 and 1805 to complete his training in the fine arts. His work can be interpreted from a Neoclassical and Romantic viewpoint, but in his use of materials and construction techniques he also sought an architectural reasoning that went beyond the symbolic and archeological debates in which Neoclassicism was sometimes raveled. Following the lead of Jean Nicolas Louis Durand (1760–1834), Schinkel aligned himself with architects who were more concerned with pragmatic issues and questions of usage than archeological reconstitutions of the past, and he also stood out as a superlative draftsman.

At first Schinkel's career focused on painting and drawing. However, in 1798 he decided to start an apprenticeship with the architect David Gilly (1748–1808), and soon after he enrolled in the Berlin School of Architecture, which opened in 1799. Along with Friedrich Gilly (1772–1800), the son of his master, he formed the Society of Young Architects in order to express their desire for innovation. At the beginning of the 19th century Prussia had fallen behind in terms of architecture; Berlin could not be compared with the great European cities, either in size (it had less than 200,000 inhabitants while Paris boasted over half a million) or in infrastructures and facilities, as it had only been the State capital for a hundred years. However, this very situation opened up great possibilities for

Schinkel, who started working on official buildings as a civ servant in 1815. From then on he was able to practice as a architect and could benefit from a position that was closel connected to the Court and the executive apparatus of th Prussian State.

The year 1815 marked a turning point in the evolution c Schinkel's work: whereas the Pomona temple (1800) was st a well-conceived exercise on the part of an outstanding stu dent who knew how to satisfy the demands of his clien according to the tastes of the time, from 1815 onward Schinkel had the chance to build on a regular basis, and th large public buildings that he drew up were demonstrations c a distinctive talent. The Neue Wache or New Police Head quarters (1816–1818), the Schauspielhaus or Theate (1818–1821) and the Altes Museum or Old Museun (1824–1830) were buildings that sought to bring order an dignity to the center of Berlin, and when he designed them he took into account not only their specific functions but also their representative role. They all share the premise that func tionality constitutes one of the key elements of a design.

Between 1815 and 1830 Schinkel drew up various building under the separate banners of neoclassicism and romant cism, although he mixed the two approaches in the palace that he built in Potsdam, such as the castles in Glienicke (1824–1827) and Charlottenhof (1826–1827). The mos important feature of all these works is not their resolution i accordance with esthetic programs that he had adopted to greater or lesser degree, but the underlying concern for func tionality and for coherence between the building and it materials.

Mies van der Rohe empfand immer tiefe Bewunderung für Schinkel, und zwar nicht nur, weil er einer der bedeutendsten Baumeister der Aufklärung in Deutschland war, sondern auch weil der große Architekt der Moderne spürte, dass Schinkel ein architektonisches Gespür besaß, das dem seinigen verwandt war. Karl Friedrich Schinkel (1781–1841) genoss eine hervorragende Erziehung und bereiste zwischen 1803 und 1805 Italien und Frankreich, um seine Ausbildung zu vervollkommnen, wie es damals Brauch war. Sein Werk kann als klassizistisch und romantisch bezeichnet werden, doch Schinkels Auffassung von Baukunst ging weit über die symbolischen oder archäologischen Fragen hinaus, auf die sich der Klassizismus häufig beschränkte. Er suchte nach neuen Materialien und bautechnischen Lösungen. Schinkel gehört zu den Architekten, die in der Nachfolge Jean Nicolas Louis Durands (1760–1834) standen und sich mehr für praktische Aspekte interessierten als für die Wiederbelebung der Vergangenheit im Zuge der archäologischen Entdeckungen, war aber auch ein ausgezeichneter Gestalter.

Schinkels Laufbahn schien zuerst in Richtung Zeichnung und Malerei zu weisen, doch im Jahre 1798 begann er seine Ausbildung beim Architekten David Gilly (1748–1808) und schrieb sich bald darauf an der neu gegründeten Bauakademie (1799) in Berlin ein. Zusammen mit dem Sohn seines Lehrmeisters, Friedrich Gilly (1772–1800), gründete er eine Gesellschaft junger Architekten, um den dringenden Wunsch nach Erneuerung umsetzen zu können. Preußen war zu Beginn des 19. Jahrhunderts in architektonischer Hinsicht ein Land mit einem großen Nachholbedarf. Berlin konnte einem Vergleich mit anderen großen europäischen Hauptstädten nicht standhalten, und zwar weder, was die Einwohnerzahl anging (man zählte weniger als 200.000 Ein-

wohner, während in Paris mehr als eine halbe Million lebten), noch hinsichtlich der Verkehrswege und Versorgungseinrichtungen. Berlin war schließlich erst seit hundert Jahren Hauptstadt des Staates. Allerdings eröffnete gerade diese Situation dem Architekten ein weites Arbeitsfeld, als er im Jahre 1815 in die Bauverwaltung eintrat. Von nun an arbeitete er als Baumeister und unterhielt dabei enge Beziehungen zum königlichen Hof und zur staatlichen Verwaltung Preußens.

Das Jahr 1815 kann als entscheidender Einschnitt in Schinkels Karriere gelten: Während z. B. der Pomonatempel (1800) nicht über eine gelungene Fingerübung eines begabten Schülers hinauskommt, der die Wünsche des Bauherrn dem Zeitgeschmack entsprechend auslegt, zeugen die späteren Entwürfe für wichtige öffentliche Gebäude von seiner besonderen Meisterschaft. Die Neue Wache (1816–1818), das Schauspielhaus (1818–1821) oder das Alte Museum (1824–1830) sind Bauten, mit denen das Stadtzentrum verschönert werden sollte. Schinkel entwarf sie daher mit Blick auf Funktionalität und Repräsentativität zugleich. Die funktionale Gestaltung ist eines der hervorstechenden Merkmale dieser Entwürfe und sollte auch die anderen Projekte des Architekten kennzeichnen.

Zwischen 1815 und 1830 entwarf Schinkel zahlreiche klassizistische oder romantische Gebäude, von denen einige Mischformen beider Stilrichtungen darstellten wie die Schlösser in Glienicke (1824–1827) oder Charlottenhof bei Potsdam (1826–1827). Im Vordergrund steht dabei nicht unbedingt nur die Lösung einer spezifischen Bauaufgabe unter Einhaltung bestimmter ästhetischer Vorgaben, sondern vor allem die Funktionalität des Gebäudes und die Kohärenz zwischen dem Bau als Ganzem und den verwendeten Materialien.

Mies van der Rohe a toujours ressenti une profonde admiration pour la personne de Schinkel. Non seulement parce qu'il s'agit d'un des architectes les plus importants des Lumières allemandes mais aussi parce qu'affichant une sensibilité très proche de celle du grand architecte de la modernité. Karl Friedrich Schinkel (1781–1841) a bénéficié d'une superbe formation et voyagé en Italie comme en France entre 1803 et 1805 afin de compléter, selon les canons de l'époque, sa formation aux beaux-arts. Son œuvre peut être lue selon une optique néoclassique et romantique ; cependant, cet architecte rechercha dans les matériaux et la technique constructive une raison architecturale au-delà des débats symboliques ou archéologiques, dans lesquels s'enfermait parfois le néoclassicisme. Suivant la voie tracée par Jean Nicolas Louis Durand (1760–1834), Schinkel forma partie des architectes plus préoccupés par des questions pragmatiques et d'usage de matériels que par la récupération archéologique du passé. Il s'élève également comme un créateur de grande qualité.

La carrière de Schinkel fut au départ consacrée à la peinture et au dessin. Toutefois, en 1798, il décide de commencer son apprentissage auprès de l'architecte David Gilly (1748–1808) et s'inscrit peu après à l'École d'architecture de Berlin – créée en 1799. Avec le fils du maître, Friedrich Gilly (1772–1800), il allait constituer la Société des jeunes architectes dans l'intention de communiquer sa soif d'innovation. La Prusse était, au début du XIXème siècle, un pays en retard sur le plan architectural. Berlin ne souffrait pas la comparaison avec les grandes cités européennes ni par sa taille (elle comptait moins de 200 000 habitants quand Paris en accueillait plus d'un demi million), ni en infrastructures ou en équipement,

étant capitale depuis seulement un siècle. Cependant, c'est précisément cet état de fait qui recelait de grandes possibilités pour Schinkel, admis comme membre de l'administration des bâtiments publics en 1815. À partir de ce moment, il pourrait exercer comme architecte et disposer d'une position très proche de la cour et de l'appareil exécutif de l'état prussien.

L'évolution appréciable dans les œuvres de Schinkel est marquée par cette date de 1815 : le temple de Pomona (1800) n'est guère qu'un bon exercice de la part d'un étudiant talentueux, devant satisfaire à la commande de son client selon les goûts de l'époque, mais dès cette année et devant la possibilité de pouvoir construire de façon régulière, les grands édifices publics qu'il projette font déjà montre d'un génie particulier. La Neue Wache ou Nouvelle préfecture de police (1816–1818), la Schauspielhaus ou Théâtre (1818–1821) et le Altes Museum ou Vieux musée (1824–1830) sont des constructions cherchant à ordonner le centre de Berlin et lui conférer une réelle dignité. Il les conçoit en pensant à leurs fonctions particulières comme à leur représentativité. Pour chacun, apparaissent déjà les prémisses d'une création dont la fonctionnalité constitue un des éléments les plus importants du projet.

Entre 1815 et 1830, Schinkel projettera divers édifices sous le signe du néoclassicisme ou du romantisme, les deux tendances se mêlant dans les palais construits à Potsdam, comme le château de Glienicke (1824–1827) ou celui de Charlottenhof (1826–1827). Parmi ces œuvres, le plus important n'est pas la résolution selon des programmes esthétiques plus ou moins assumés mais bien l'intérêt sous-jacent envers une fonctionnalité et une cohérence entre la construction et ses matériaux.

Mies van der Rohe ha sempre nutrito una profonda ammirazione per la figura di Schinkel, non solo perchè si tratta di uno degli architetti più importanti nel campo del design tedesco, ma anche perchè ha la stessa sensibilità del grande architetto della modernità. Karl Friedrich Schinkel (1781–1841) ricevette una formazione superba e, come dettavano le norme dell'epoca, completò la sua formazione in belle arti recandosi in Italia ed in Francia tra il 1803 ed il 1805. Malgrado sia possibile classificare la sua opera come neoclassica o romantica, in realtà Schinkel cercava nei materiali e nella tecnica costruttiva un messaggio architettonico lasciando da parte le discussioni simboliche ed archeologiche nelle quali a volte si rinchiudeva il neoclassicismo. Come anche Jean Nicolas Louis Durand (1760–1834), Schinkel – che fu anche un notevole disegnatore – faceva parte del gruppo di architetti preoccupati delle questioni pratiche e dell'uso più che del recupero archeologico del passato.

Il percorso di Schinkel fu in un primo momento incentrato sulla pittura e sul disegno; successivamente, nel 1798, iniziò il suo apprendistato con l'architetto David Gilly (1748–1808), iscrivendosi poco dopo alla Scuola di Architettura di Berlino – creata nel 1799. Insieme a Friedrich Gilly (1772–1800), figlio del suo maestro, fondò la Società dei Giovani Architetti con l'intenzione di diffondere il suo desiderio di rinnovamento. Agli inizi del XIX° secolo la Prussia era un paese arretrato nel campo dell'architettura; Berlino, capitale dello stato solo da un secolo, non era all'altezza delle altre grandi città europee, nè per dimensioni (aveva meno di 200.000 abitanti mentre a Parigi vivevano più di mezzo milione di persone) nè per le infrastrutture e per le dotazioni. Tuttavia, proprio questa situazione rappresentava un'importante opportunità per Schinkel, che venne ammesso come membro dell'amministrazione per l'edilizia nel 1815. A partire da questo momento potè esercitare come architetto in una posizione molto vicina alla corte ed all'apparato esecutivo dello stato prussiano.

Il 1815 è una data importante nell'evoluzione dell'opera di Schinkel. Il tempio di Pomona realizzato nel 1800 è l'opera eccellente di un alunno eccellente capace di soddisfare le richieste del suo cliente secondo il gusto dell'epoca, ma, dopo questa data, grazie alla possibilità di poter costruire regolarmente, potè progettare grandi edifici pubblici che mostrano già la sua peculiare genialità. La Neue Wache (la Questura) (1816–1818), la Schauspielhaus (il Teatro) (1818–1821) ed l'Altes Museum (il Vecchio Museo) (1824–1830) sono opere destinate a strutturare e nobilitare il centro di Berlino, progettate pensando sia alla loro funzione propria sia al loro ruolo rappresentativo, e nelle quali è già evidente un design nel quale la funzionalità è l'elemento più importante.

Tra il 1815 ed il 1830 Schinkel progettò diversi edifici in stile neoclassico e romantico, questi due stili si fondono nei palazzi costruiti a Potsdam, come il castello di Glienicke (1824-1827) e quello di Charlottenhof (1826–1827). Il fattore più importante di tutte queste opere non è la loro realizzazione negli schemi di uno stile estetico più o meno accettato, ma l'evidente preoccupazione per la funzionalità e l'armonia tra l'edificio e i materiali.

Pomona Temple

Pfingstberg, Potsdam, Germany
1800

The Pomona temple is a small pavilion on the Pfingstberg hill in Potsdam. In 1800 the owner of the vineyards on this property, Carl Ludwig von Oesfeld, commissioned the young Schinkel to turn part of his land into a garden and then build this pavilion on it. Its location, and the way it strategically points toward the city, endows it with a view of the palaces belonging to the Prussian nobility residing in Potsdam. Schinkel completed this building before traveling to Italy and Paris, and it was the first one he drew up on his own. It demonstrates his architectural training and the tastes of society at that time: picturesque gardens and the reassertion of Greek Classicism. The temple's façade is an example of Hellenism understood in its purest terms; it uses simple geometrical proportions within a square whose measurements are all interrelated. However, this extremely severe building is set in sinuous gardens, which seek perspectives in foreshortening and which lead to a belvedere, partially hidden by the high hedge that also marks the path to it

Der Pomonatempel ist ein kleiner Pavillon auf dem Pfingstberg bei Potsdam. Carl Ludwig von Oesfeld, der Eigentümer der Weingärten auf diesem Gelände, erteilte dem jungen Schinkel 1800 den Auftrag, einen Teil seines Besitzes als Garten künstlerisch zu gestalten und später diesen Pavillon zu erbauen. Der Pomonatempel ist so ausgerichtet, dass man von seinem Dach aus den Blick auf die Adelspalais in Potsdam genießen konnte. Es handelt sich um Schinkels erste eigenständige Arbeit, die er noch vor seiner Reise nach Italien und Paris verwirklichte und in der sich seine Ausbildung und der herrschende Zeitgeschmack widerspiegeln: die Betonung des Malerischen in der Gartenkunst und die Wiederentdeckung der klassischen Antike Griechenlands. Die Fassade ist ein Beispiel für einen äußerst schlichten Hellenismus; ihre einfachen geometrischen Proportionen lassen sich auf ein Quadrat zurückführen und sind in ihren Maßen aufeinander abgestimmt. Dieser so streng wirkende Bau erhebt sich in einem sich schlängelnden Garten, in dem mit der perspektivischen Verkürzung gespielt wird, und wird teilweise von einer hohen Hecke verdeckt.

Le temple de Pomona est un petit pavillon situé sur la colline de Pfingstberg, à Potsdam. Le propriétaire des vignobles de cette résidence, Carl Ludwig von Oesfeld, chargea le jeune Schinkel en 1800 de la création de jardins sur une partie de sa propriété et de la construction, postérieure, de ce pavillon. Son emplacement, orienté stratégiquement vers la ville, permet de profiter des vues sur les palais de la noblesse prussienne, accueillie à Postdam. Ce fut son premier travail en solitaire, qu'il mènerait à bien avant de voyager en Italie et à Paris. Il est possible d'y apprécier la formation de l'architecte et les goûts de la société de son époque : le pittoresque des jardins et la récupération du classicisme grec. La façade du temple est un exemple d'hellénisme bien compris dans sa plus pure sobriété. Il s'appuie sur des proportions géométriques simples s'inscrivant dans un cadre dont les dimensions s'interpellent entre elles. Mais cette construction si rigide se situe dans des jardins sinueux, en quête de perspectives raccourcies et menant à un point de vue à travers de hautes haies l'occultant partiellement.

Il tempio di Pomona è un piccolo padiglione situato sulla collina di Pfingstberg, a Potsdam. Nel 1800 il proprietario dei vigneti di questo terreno, Carl Ludwig von Oesfeld, commissionò al giovane Schinkel la creazione di un giardino e la costruzione del padiglione. La sua ubicazione – è rivolto strategicamente verso la città – consente di godersi la veduta dei palazzi della nobiltà prussiana di Potsdam. Nel Tempio di Pomona, il primo lavoro svolto da solo e realizzato prima delle visite in Italia e a Parigi, è evidente la formazione dell'architetto e il gusto della società dell'epoca: il pittoricismo dei giardini ed il recupero del classicismo greco. La facciata del tempietto è un magnifico esempio di stile ellenistico, ma molto austero; l'architetto gli conferisce proporzioni geometriche semplici che è possibile iscrivere in un quadrato le cui misure sono in relazione tra loro. Questa costruzione così severa è circondata da un giardino sinuoso che offre suggestivi scorci, attraversando il quale si giunge ad un belvedere seminascosto dietro un'alta siepe.

Mausoleum for Queen Louise

Schloss Charlottenburg, Berlin, Germany
1810

The first plan Schinkel drew up for Queen Louise's mausoleum was neo-gothic, with pointed arches and three naves topped with vaults. However, although the Gothic style was being revived in the Germanic states as a symbol of a national art and Classical art could seem too pagan for a funeral monument, Schinkel finally opted for a Classical building, using the same austere language he had adopted ten years earlier for the Pomona temple. Once again, the mausoleum's portico fits into a square, and it displays the same proportions as the larger element built behind it. The only exterior decorations are the two Greek letters alpha and omega, which flank a Chrismon (a Christian symbol), and the triglyphs on the frieze. The space inside is divided into three sections. A short staircase leads to a small antechamber, presided over by a bust of the queen, and after this comes the mausoleum itself, with four sculpted sepulchers facing a small altar. Using very limited resources, Schinkel created a stark interior that is much richer than the sober façade.

Schinkels erster Entwurf für das Mausoleum der Königin Luise zeigte neugotische Formen: Spitzbögen und drei gewölbte Joche. Doch obwohl die Gotik in den deutschen Landen damals als eine Art Nationalstil wiederentdeckt worden war und die klassische Kunst für ein solches Grabdenkmal zu heidnisch erscheinen mochte, entschied sich Schinkel schließlich für einen Bau in klassizistischen Formen. Er griff dabei auf die gleiche schlichte Formensprache zurück, die er zehn Jahre zuvor beim Potsdamer Pomonatempel verwendet hatte. Wie dort auch fügt sich der Portikus in ein Quadrat ein und weist die gleichen Proportionen wie der dahinterliegende, etwas größere Baukörper auf. Im Tympanon über dem Triglyphenfries sind als einziger Schmuck die Buchstaben Alpha und Omega des griechischen Alphabets und dazwischen das Christusmonogramm angebracht. Im dreigeteilten Innenraum führen einige Stufen zu einer kleinen Vorhalle mit einer Büste der Königin empor, danach folgt das eigentliche Mausoleum mit den vier Sarkophagen der Königin und ihrer Familienmitglieder sowie einem kleinen Altar. Hinter der strengen Fassade schuf Schinkel hier einen schlichten, aber ergreifenden Innenraum.

Le premier projet dessiné par Schinkel pour le mausolée de la reine Louise était néogothique, avec des arches en ogives et trois nefs voûtées. Pour autant, bien que la récupération du gothique dans les états germaniques se développa comme un symbole d'un art national et bien que l'art classique put sembler par trop païen pour un monument funéraire, Schinkel opta finalement pour une construction classique, employant le même langage austère que pour le temple de Pomona, érigé dix ans auparavant. Comme pour celui-ci, le portique du mausolée peut s'inscrire dans un cadre et présente les mêmes proportions que le corps qui s'élève derrière lui, aux dimensions légèrement supérieures. Les lettres grecques, Alpha et Omega, sont la seule décoration extérieure, entourant un symbole chrétien et les triglyphes de la frise. L'espace se divise en trois parties. Un petit escalier mène vers une petite antichambre, présidée par un buste de la reine, suivie du mausolée proprement dit, avec quatre sépulcres sculptés (la reine et les membres de sa famille) orientés vers un petit autel. Avec très peu de ressources, Schinkel crée un espace sobre et appréhensible, bien plus riche que la façade dans toute sa froideur.

Il primo progetto di Schinkel per il mausoleo della regina Luisa, in stile neogotico, è costituito da archi ogivali e tre navate ricoperte da volte. Tuttavia, malgrado negli stati tedeschi venisse impiegato lo stile gotico come il nuovo simbolo di un'arte nazionale e malgrado l'arte classica potesse sembrare troppo "pagana" per un monumento funebre, Schinkel decise di edificare una costruzione appunto in stile classico, impiegando lo stesso stile austero del tempio di Pomona eretto dieci anni prima. Come il tempio, anche il portico del mausoleo può essere inscritto in un quadrato ed ha le stesse proporzioni del corpo di dimensioni maggiori che si innalza alle sue spalle. L'unica decorazione esterna sono le lettere greche "alfa" e "omega", intorno ad un "crismon" (il simbolo cristiano) ed ai triglifi del fregio. Lo spazio è diviso in tre sezioni: una corta scalinata conduce ad una piccola anticamera presieduta dal busto della regina, alla quale segue il mausoleo vero e proprio, con quattro sepolcri scolpiti (della regina e dei membri della sua famiglia) rivolti verso un piccolo altare. Con pochissimi mezzi Schinkel crea uno spazio austero molto più ricco della fredda facciata.

Inscriptions on the walls:

NICHT VON DIR
DEIN ERBARMER. Jes. 54.x.10.

WENN MIR ANGST IST, SO
RUFE ICH DEN HERRN AN. Ps. 18.7

WIR ABER SIND NICHT
WERDEN, SONDERN VON DE

Neue Wache

Unter den Linden, Berlin, Germany
816–1818

he decision to set up a guard unit on Unter den Linden formed part of the military reorganization undertaken in Prussia after
ie Napoleonic Wars. This squad was charged with keeping watch over the Brandenburg Gate and, in extremis, protecting the
oyal Palace. However, it also served a representative function, which was enhanced by its location on the main avenue in
erlin's political centre. Schinkel gave a distinctive treatment to the building destined to house this new institution, far removed
om the designs Ledoux was using in Paris, which had set the standard for urban guardhouses throughout Europe. The build-
g comprises a rectangular mass with a Doric peristyle that opens up in the façade. A smooth frieze accentuates the build-
g's horizontality, which is only disrupted by sculptures by Johann Gottfried Schadow (1764–1850), winged representations
f Victory with laurel crowns that act as an allegory for vigilance. The building was reconstructed after World War II as a mon-
ment to the victims of Nazism.

n Rahmen der Umstrukturierungen innerhalb der preußischen Armee nach dem Ende der Befreiungskriege gegen Napo-
on wurde an der Allee Unter den Linden ein Wachregiment abgestellt, dem der Schutz des Brandenburger Tores und
n Ernstfall die Verteidigung des Königlichen Schlosses oblag. Die Neue Wache erfüllte jedoch auch eine repräsentative
unktion, lag sie doch an der Hauptstraße zum politischen Zentrum Berlins. Schinkel fasste das Wachgebäude völlig
nders auf als Ledoux, dessen Entwürfe für Paris in ganz Europa als Vorbild für diesen Gebäudetypus dienten. Die Neue
Vache stellt sich als rechteckiger Körper mit einer dorischen Säulenvorhalle an der Hauptfassade dar. Der glatte, die Waa-
erechte betonende Fries wird von geflügelten Siegesgöttinnen mit Lorbeerkränzen geschmückt. Diese zur Wachsamkeit
ahnenden Skulpturen stammen von Johann Gottfried Schadow (1764–1850) und symbolisieren die Staatsgewalt. Die
eue Wache wurde nach den Kriegszerstörungen wiederaufgebaut und ist seit 1993 die zentrale Gedenkstätte der
undesrepublik für die Opfer des Nationalsozialismus.

a décision d'établir un corps de garde sur l'avenue Unter den Linden forma partie de la réorganisation militaire réali-
ée en Prusse après les guerres napoléoniennes. Cet organisme avait pour propos de contrôler la porte de Brande-
ourg et, pour les cas extrêmes, de protéger le palais royal. Mais il remplissait également une fonction représentative,
ès marqué par son emplacement sur l'avenue principale du centre politique berlinois. Schinkel traita l'édifice qui
evait accueillir cet nouvelle institution de manière singulière, éloignée des conceptions suivies par Ledoux à Paris, le
odèle dominant dans l'ensemble de l'Europe pour la typologie des douanes urbaines. L'édifice est constitué d'un
orps rectangulaire doté d'un péristyle dorique s'ouvrant sur sa façade. Une frise lisse accentue le caractère horizon-
l du bâtiment, tronqué uniquement par les sculptures de Johann Gottfried Schadow (1764–1850), des victoires ailées
ouronnées de lauriers servant d'allégorie de la vigilance. L'édifice fut reconstruit, après la seconde guerre mondiale,
n monument aux victimes du fascisme.

a decisione di costituire un corpo di guardia nel viale Unter den Linden fece parte della riorganizzazione militare
ffettuata in Prussia dopo le guerre napoleoniche: avrebbe dovuto sorvegliare la porta di Brandemburgo e, in caso
necessità, proteggere il palazzo reale. Il corpo di guardia svolgeva anche una funzione rappresentativa, sottoli-
eata oltretutto dalla sua ubicazione lungo il viale principale del centro politico di Berlino. Schinkel progettò l'edifi-
o, che avrebbe dovuto ospitare questa nuova istituzione, in modo peculiare, allontanandosi dagli schemi utilizza-
da Ledoux a Parigi e che costituivano il modello imperante in tutta Europa per la tipologia delle dogane urbane.
edificio è costituito da un corpo rettangolare con un peristilio dorico che si apre sulla facciata. Un fregio liscio
ccentua l'orizzontalità dell'edificio, interrotta solo dalle statue di Johann Gottfried Schadow (1764–1850), vittorie
ate con corone di alloro, allegoria della vigilanza. L'edificio venne ricostruito dopo la Seconda Guerra Mondiale
ome monumento alle vittime del fascismo.

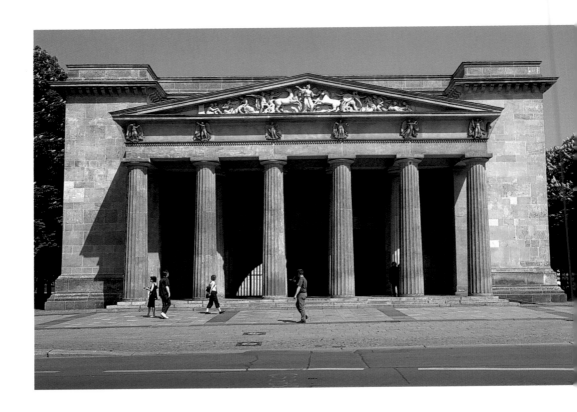

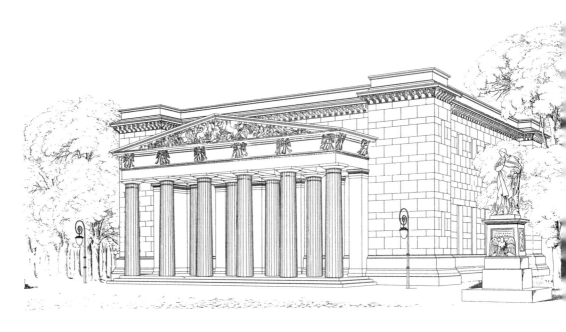

Schauspielhaus

Gendarmenmarkt, Berlin, Germany
1818–1821

The Schauspielhaus was built on a tight budget, but it had to offer both fire prevention measures and the imposing appearance expected of a public building. Its unbeatable location between two 18th century churches determined the design of the main façade, which serves as a symmetrical axis for the square. The building rises from a large base; this accentuates the theater's line and also contains an extensive basement for storing properties, which were heavy. This feature made it possible to reduce costs, as it avoided the need for an exceptionally resistant structure to support this weight on the upper floors. The exterior is unified by the windows, which allow light to flood into the rooms inside. The large pilasters on the corners close all the horizontal lines (cornices and windows) and reaffirm the verticality of the colonnade at the entrance. The building comprises three sections, separated by thick walls to prevent any fire from spreading. The central unit contains the theater auditorium; the south wing, a concert hall; and the north wing, the rehearsal room, offices and wardrobe.

Das Schauspielhaus wurde mit einem knappen Budget gebaut und der Neubau sollte über Brandschutzeinrichtungen verfügen und den für ein öffentliches Gebäude angemessenen feierlichen Anblick bieten. Die einmalige Lage zwischen den zwei Kirchen des 18. Jahrhunderts auf dem Berliner Gendarmenmarkt bestimmt die Gestaltung der Hauptfassade, die zugleich als Symmetrieachse der gesamten Platzanlage fungiert. Der Bau erhebt sich über einem hohen Sockelgeschoss, das als Magazin für den Fundus und die Kulissen dient. Durch diesen Kunstgriff konnten Kosten gespart werden, denn sonst wäre eine aufwändige tragende Deckenstruktur in einem der oberen Stockwerke erforderlich gewesen, um diese schweren Ausstattungsgegenstände unterzubringen. Die großen Fenster an allen Fassaden tragen zum einheitlichen Gesamteindruck des Gebäudes bei und statten das Innere zugleich mit reichlich Tageslicht aus. Die kräftigen Eckpilaster bilden den Endpunkt der waagerechten Bewegung der Gesimse und Fenster und nehmen die senkrechte Tendenz der Säulen des großen Portikus über der Freitreppe wieder auf. Die drei Teile des Gebäudes sind durch starke Mauern voneinander getrennt, um im Brandfall ein Ausbreiten der Flammen zu erschweren. Der Mittelteil nimmt das Bühnenhaus auf, der Südflügel einen Konzertsaal und der Nordflügel die Probe-, Verwaltungs-, und Garderobenräume.

Le Schauspielhaus a été avec un budget très serré qui devait inclure des mesures anti-incendie et présenter un aspect solennel propre d'un bâtiment public. Sa situation privilégiée, flanqué de deux églises du XVIIIème siècle, conforme le développement de la façade principale, fonctionnant comme axe de symétrie de la place. L'édifice s'élève sur un vaste socle accentuant la ligne du théâtre tout en offrant à l'intérieur un ample sous-sol, espace réservé à l'entreposage de l'attrezzo, pesant ; cette solution permettait de réduire les coûts, dispensant d'une structure exceptionnellement résistante supportant le poids dans les étages supérieurs. Les fenêtres, illuminant puissamment les salles, constituent un élément unificateur à l'extérieur, se répétant sur tous les murs. Les grands pilastres des angles ferment toutes les lignes horizontales (corniches et fenêtres) et réaffirment la verticalité de la colonnade de l'entrée. L'édifice propose trois corps séparés par des murs épais, devant empêcher la propagation du feu en cas d'incendie. Le corps central abrite la caisse scénique ; l'aile sud une salle de concerts ; l'aile nord la salle de répétition, les bureaux et les costumes.

La Schauspielhaus venne con uno scarso budget che avrebbe dovuto coprire anche il costo delle misure preventive antiincendio e dargli un aspetto maestoso, degno di un edificio pubblico. La magnifica ubicazione, tra due chiese del XVIII° secolo, contraddistingue la facciata principale, che costituisce il nucleo della piazza. L'edificio si innalza su un grande basamento che esalta le linee del teatro e che si trasforma in un vasto sotterraneo, che venne adibito a magazzino per l'attrezzatura, pesante; questo permise di ridurre i costi, perchè evitava di dover costruire una struttura eccezionalmente resistente in grado di sopportare il peso dei piani superiori. I finestroni, che illuminano le sale, si ripetono iguali lungo le pareti, conferendo esternamente omogeneità all'edificio. Le grandi lesene degli angoli chiudono le linee orizzontali (i cornicioni e le finestre), riaffermando la verticalità del colonnato dell'ingresso. L'edificio è costituito da tre corpi divisi da spessi muri che, in caso di incendio, sono in grado di impedire la propagazione del fuoco. Il corpo centrale alloggia il palcoscenico, l'ala sud, una sala per concerti e l'ala nord, la sala per i saggi, gli uffici e il guardaroba.

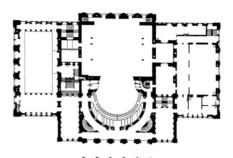

Second floor   Zweites Obergeschoss
Deuxième étage   **Piano secondo**

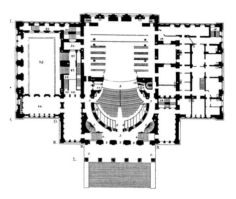

First floor   Erstes Obergeschoss
Premier étage   **Piano primo**

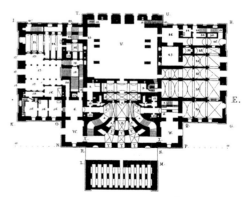

Ground floor   Erdgeschoss
Rez-de-chaussée   **Piano terra**

     0   5   10

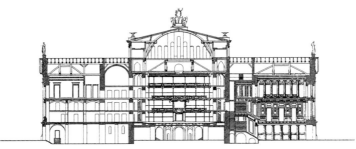

Longitudinal section   **Längsschnitt**
Section longitudinal   **Sezione longitudinale**

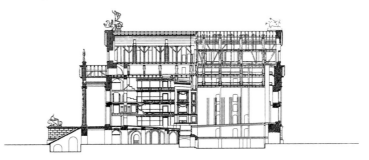

Cross section   **Querschnitt**
Section transversale   **Sezione trasversale**

0   5   10

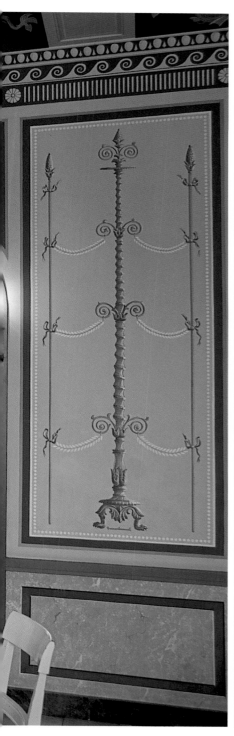

Schlossbrücke

Unter den Linden, Berlin, Germany
1822–1824

The Schlossbrücke or Castle Bridge was designed to substitute the old wooden bridge, known as the Bridge of Dogs, in order to improve the approach to the Royal Palace. Like other buildings by Schinkel, it forms part of the gradual refurbishment of Unter den Linden, the political power center of the Prussian State. There is an evident similarity with the Pont de la Concorde in Paris, designed by Perronet in 1791, not only in its structure of low arches and large pillars but also in its decoration and arrangement of sculptures on the pillars. However, Schinkel's bridge points towards a much more personal and elegant language: the extremely solid bases of the pillars divide the bridge into three small sections, readily distinguishable as units, with the height of the pillars roughly proportional to the width of each portion. Also outstanding, along with the dominance of the verticals over the horizontals, is the design of the balustrade; it is made of wrought iron, and the delicacy of this material establishes a strong contrast with the pillars.

Die Schlossbrücke sollte die alte, als „Hundebrücke" bekannte Holzbrücke ersetzen, um die Zufahrt zum Berliner Schloss zu verschönern. Wie andere Werke Schinkels gehört auch dieses Projekt zu den Baumaßnahmen zur allmählichen Umgestaltung der Promenade Unter den Linden, mitten im politischen Zentrum der preußischen Hauptstadt. Zunächst fällt die Ähnlichkeit zu der von Perronet 1791 entworfenen Concordebrücke in Paris auf: die abgeflachten Brückenbögen, die kräftigen Pfeiler und die darauf postierten Standbilder. Doch Schinkels Brücke entwickelt eine sehr viel persönlichere, elegantere Sprache. Jede Bogenstellung zwischen den kräftigen Pfeilern bildet eine Einheit für sich; Bögen und Pfeiler stehen in einer proportionalen Beziehung. Bei der Gestaltung dominiert die Vertikale über der Horizontalen. Ebenfalls bemerkenswert ist die Gestaltung der Balustrade; sie ist aus Gusseisen und das feine Material bietet einen starken Kontrast zu den Säulen.

Le Schlossbrücke ou pont du château fut projeté pour se substituer à l'ancien pont de bois, connu comme le pont aux chiens, dans l'optique d'améliorer les alentours du palais royal. Comme pour d'autres œuvres de Schinkel, il fait partie de la rénovation progressive de l'avenue Unter den Linden, centre du pouvoir politique de l'état prussien. La similitude avec le pont de la Concorde de Paris, conçu par Perronet en 1791, est évidente, tant par sa structure en arches abaissées et aux imposants piliers que par la décoration et la disposition des sculptures sur les piliers. Mais le pont de Schinkel affirme un langage plus personnel, plus élégant : les bases des colonnes, très massives, divisent le pont en trois petits segments facilement identifiables en tant qu'unité, avec une proportion approchée entre la hauteur des piliers et la largeur de chaque partie. Outre la dominante de verticales en regard des horizontales, est également remarquable la conception de la rambarde, dont la légèreté, due au fait d'être constituée de fer de coulée, souligne encore davantage le contraste avec les piliers.

Lo Schlossbrücke o Ponte del Castello venne progettato per sostituire l'antico ponte di legno, noto come il "ponte dei cani", e per abbellire i dintorni del palazzo reale. Come altre opere di Schinkel, fa parte della lenta ristrutturazione della via Unter den Linden, centro del potere politico dello stato prussiano. La somiglianza con il ponte della Concordia a Parigi, progettato da Perronet nel 1791, è molto evidente, sia per la sua struttura ad archi ribassati e i grandi piloni sia per la decorazione e la disposizione delle sculture. Tuttavia, il ponte di Schinkel mostra uno stile molto più personale ed elegante: le basi delle colonne, massicce, dividono il ponte in tre brevi segmenti facilmente riconoscibili come unità con una proporzione approssimativa tra l'altezza dei piloni e la larghezza di ogni sezione. Oltre al predominio delle linee verticali sulle orizzontali, spicca il disegno delle ringhiere, la cui leggerezza – sono di ferro fuso – contrasta con i piloni in modo evidente.

Altes Museum

Bodestraße, Berlin, Germany
1824–1830

The Altes Museum was the first public museum in Berlin. It was built with two basic objectives: to serve a didactic role and to enhance the layout of one of the city's most representative areas, in front of the Royal Palace. In this project Schinkel experimented with some ideas already current in France; for example, the museum's division into galleries around an oval hall and the large portico with colonnades—two options that he interprets in an innovative manner. The 18 pillars on the façade act like a curtain and, as they do not enclose the building, they stress its public nature. The stylobate on which they rest is of the same proportions as the entablature that they support, while the latter masks the view of the pointed roofs. These devices emphasize the building's horizontality. The entablature is topped by an austere central rectangular mass, crowned with two sculptures by Friedrich Tieck (1773–1853). During the Enlightment and the 19th century, it was considered that the institution of the museum would invigorate society by transmitting ethical and cultural concepts.

Das Alte Museum war das erste öffentliche Museum Berlins. Der König verfolgte mit seiner Errichtung zwei Ziele: Die Bildung des Volkes und die städtebauliche Vollendung des Lustgartens, einem der repräsentativsten Plätze der Stadt, gegenüber dem Königlichen Schloss. Schinkel griff bei diesem Projekt auf schon in Frankreich angewandte Lösungen zurück, die er aber weiterentwickelte, wie den großen Portikus mit der Kolonnade oder die Anordnung der Ausstellungsräume um einen runden Saal herum. Die 18 Säulen der Vorhalle an der Hauptfassade wirken wie ein Vorhang und unterstreichen in ihrer Durchlässigkeit zugleich den öffentlichen Charakter des Bauwerks. Der Sockel, auf dem sie sich erheben, ist ebenso hoch wie das Gebälk, das sie tragen und das den Blick auf die dahinterliegenden schrägen Dachflächen verwehrt. Diese beiden Elemente heben die waagerechte Ausdehnung des Gebäudes hervor. Über das Gebälk ragt ein nüchterner rechteckiger Baukörper hinaus, den Skulpturen von Friedrich Tieck (1773–1853) zieren. Im Zuge der Aufklärung gehörte die Einrichtung von Museen im 19. Jahrhundert zu den wichtigsten Maßnahmen zur Vermittlung kulturellen Wissens und damit zur sittlichen Erziehung des breiten Volkes.

L'Altes Museum fut le premier musée public de Berlin. Sa construction avait deux objectifs essentiels : assumer une mission pédagogique et résoudre urbanistiquement un des lieux les plus représentatifs de la ville, face au palais royal. Schinkel expérimenta pour ce projet des idées déjà essayées en France. Ainsi la distribution intérieure du musée en galeries autour d'une salle en ovale et le grand portique à colonnades. Deux solutions traitées de manière innovante. Les 18 colonnes de la façade servent de toile de fond et marquent le caractère public, dépouillant la façade de toute fermeture. Le stylobate sur lequel elles sont assises présente la même proportion que l'entablement qu'elles soutiennent – celui-ci ne permet d'ailleurs pas de visualiser le toit à double pente. Ces idées soulignent l'horizontalité de l'édifice. Au-dessus de l'entablement, s'érige une corps central rectangulaire très sobre, couronné de deux sculptures de Friedrich Tieck (1773–1853). Durant les Lumières et le XIXème siècle, l'institution muséale était considérée comme dynamisante pour la société, une entité transmettant des connotations esthétiques et culturelles.

L'Altes Museum fu il primo museo pubblico di Berlino. Venne costruito con due scopi fondamentali: svolgere una funzione didattica e organizzare uno dei luoghi più rappresentativi della città, la zona situata di fronte al palazzo reale. Schinkel sperimentò con questo progetto idee già realizzate in Francia, come ad esempio, la disposizione interna del museo in gallerie disposte intorno ad una sala ovale e un grande porticato con colonnati, due soluzioni che affronta in modo innovativo. Le diciotto colonne della facciata sembrano un telone; non occultando completamente la facciata, ne indicano il suo carattere aperto e pubblico. Lo stilobate sul quale poggiano ha le stesse proporzioni della trabeazione che sorreggono – ciò impedisce di vedere i tetti a due falde. Questi elementi enfatizzano l'orizzontalità dell'edificio. Al di sopra della trabeazione si erge un corpo centrale rettangolare molto austero, sormontato da due statue di Friedrich Tieck (1773–1853). Durante l'Illuminismo e il XIX° secolo, l'istituzione del museo era considerata un elemento che dinamizzava la società, un luogo in grado di trasmettere un messaggio etico e culturale.

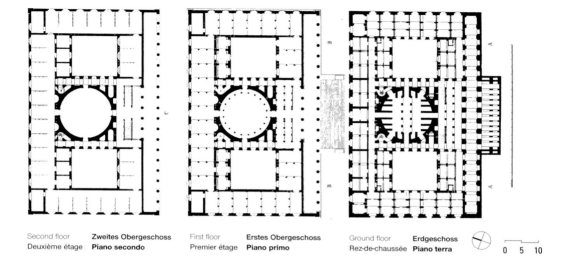

Second floor   **Zweites Obergeschoss**
Deuxième étage   **Piano secondo**

First floor   **Erstes Obergeschoss**
Premier étage   **Piano primo**

Ground floor   **Erdgeschoss**
Rez-de-chaussée   **Piano terra**

0 5 10

Schinkel-Pavillon

chloss Charlottenburg, Berlin, Germany
824–1825

he Schinkel-Pavillon forms part of the modifications made to the Royal Palace in Charlottenburg after the marriage of King riedrich Wilhelm III and the Princess of Liegnitz. The newly-weds wanted an unassuming home, so an Italian-style bourgeois ouse was built near the palace, removed from any axial perspective that could glorify its position. The pavilion demonstrates chinkel's architectural ideas before he embarked on his second journey to Italy (1825). With two stories laid out almost in a quare, the building displays its solidity in the sturdy corners and the gaps in the colonnade on the ground floor and the log- as on the first floor. Apart from these devices, which he had already used on other buildings, Schinkel also repeated his tempt to imitate the capitals of the Tower of the Winds in Athens. Particularly worthy of note are the interplay of empty and led spaces and the division of the floors into nine rectangular rooms, with almost identical dimensions but very different ppearances, according to the openings in the walls. Nowadays, the building houses a museum of arts and crafts.

er Schinkel-Pavillon wurde im Zuge der baulichen Veränderungen errichtet, die nach der Heirat König Friedrich Wilhelms . mit Fürstin Liegnitz vorgenommen wurden. Das neu vermählte Paar wünschte eine bescheidene Wohnung, daher urde dieses bürgerliche, im italienischen Stil gehaltene Haus gleich neben dem Schloss Charlottenburg, aber abseits er großen Sichtachsen erbaut. Die Villa kann stellvertretend für die architektonischen Vorstellungen Schinkels vor seiner weiten Italienreise (1825) stehen. Es handelt sich um ein zweigeschossiges Gebäude mit fast quadratischem Grundriss, as durch die Ecken und die Abstände der Kolonnade sehr solide wirkt, aber durch die Loggien im Obergeschoss auf- elockert wird. Eine ähnliche Lösung findet sich auch bei anderen Schinkelbauten. Die archäologischen Studien des rchitekten fanden ihren Niederschlag u. a. in der Nachahmung der Kapitelle des Turms der Winde in Athen. Während e Fassade durch das Wechselspiel von Wandflächen und Öffnung belebt wird, ist der Innenraum in neun fast gleich große mmer unterteilt, die aber wegen der sich verändernden Stellung der Fenster recht unterschiedlich ausfallen. Heutzuta- e beherbergt das Gebäude ein Kunst- und Handwerksmuseum.

e Schinkel-Pavillon appartient aux modifications apportées au palais royal de Charlottenburg suite à l'union du roi rédéric Guillaume III avec la princesse de Liegnitz. Le jeune couple préférait une demeure modeste et fit ainsi ériger ne maison bourgeoise de style italien près du palais, décentrée quel que soit l'axe de perspective d'observation de résidence. Le pavillon fait montre des idées architecturales de Schinkel avant son second voyage en Italie (1825). ur un plan presque carré et deux étages, l'œuvre démontre sa solidité par ses angles imposants et les vides de la olonnade du premier ainsi que les loggias du second. Outre ce procédé, utilisé dans d'autres édifices, Schinkel répè- également sa recherche archéologique en imitant les chapiteaux de la Tour des vents d'Athènes. Le projet joue aussi vec la distinction du combinaison des pleins et des vides et la distribution intérieure. Cette dernière repose sur la divi- on de l'étage en neuf pièces rectangulaires presque identiques, mais avec des résultats très distincts en fonction des uvertures dans les murs. Aujourd'hui, le bâtiment accueille un musée d'arts décoratifs.

 Schinkel-Pavillon fa parte delle modifiche effettuate nel palazzo reale di Charlottenburg dopo le nozze del re ederico Guglielmo III con la principessa di Liegnitz. La nuova coppia preferì una casa modesta, per questo motivo enne edificata, nei dintorni del palazzo, una casa borghese in stile italiano, lontana da qualsiasi asse prospettico e potesse metterla in evidenza. Il padiglione mostra le idee architettoniche di Schinkel prima del secondo viag- o in Italia (1825). Di pianta quasi quadrata e alta due piani, l'opera è robusta e solida come si può vedere negli ngoli massicci, nei vuoti del colonnato del primo piano e nelle logge del secondo. Oltre a questi elementi, usati nche in altri edifici, Schinkel mostra di nuovo la sua passione per l'antichità, imitando i capitelli della torre dei Venti Atene. Spicca in questo progetto il gioco di pieni e vuoti e la distribuzione dell'interno, la cui pianta è suddivisa nove stanze rettangolari praticamente tutte uguali, con risultati molto diversi a seconda delle differenti aperture ei muri. Attualmente, l'edificio accoglie un museo di arti decorativi.

Glienicke Castle

Königstraße, Zehlendorf, Berlin, Germany
1824–1827

Schinkel built several palaces for the Royal Family and the Prussian nobility, in collaboration with his pupil Ludwig Friedrich Persius (1803–1845), as construction overseer, and Peter Josef Lenné (1789–1866), as garden designer. This one was commissioned by Prince Karl, the brother of the future king Friedrich Wilhelm IV, and it was built between 1824 and 1827. The main building comprises two floors with two wings and a small portico indicating the entrance. The approach to the latter is interrupted by the Fountain of the Lions, and there is no clear axis dominating the organization of the space in front of the palace. This interplay of oblique perspectives and winding ways was used throughout the entire project by Schinkel and Lenné, under the influence of contemporary paintings. The complex also contains some smaller later additions, such as the summerhouse known as Große Neugierde (1835) and the casino, which is flanked by two magnificent pergolas that help to integrate it into the setting. The path leading to it traces a series of curves that vary the angle of vision.

Schinkel baute mehrere Schlösser für die königliche Familie und den preußischen Adel. Sein Schüler Ludwig Friedrich Persius (1803–1845) als Bauleiter und Peter Josef Lenné (1789–1866) als Gartenarchitekt arbeiteten eng mit ihm zusammen. Schloss Glienicke entstand von 1824 bis 1827 für den Prinzen Karl, den Bruder des späteren Königs Friedrich Wilhelm IV. Das Hauptgebäude ist ein zweigeschossiger Bau mit zwei Seitenflügeln und einer kleinen Pfeilerhalle vor dem Eingang. Auf dem Weg dahin kommt der Besucher am Löwenbrunnen vorbei. In dem von Schinkel und Lenné nach Vorbildern aus der Malerei angelegten Park finden sich keine geraden Wegachsen; er ist leicht hügelig und wird von geschwungenen Wegen durchzogen, die immer wieder neue Perspektiven eröffnen. Später wurden weitere Gebäude errichtet, wie die Große Neugierde (1835) oder das Casino direkt am Havelufer, das auch über die beiden sich seitlich anschließenden Pergolen mit dem Garten verbunden ist. Der Weg vom Schloss zum Casino beschreibt eine Reihe von Kurven, die dem Spaziergänger wechselnde Ausblicke gewähren.

Schinkel construisit divers palais pour la famille royale et la noblesse prussienne. Il bénéficia de la collaboration de son disciple Ludwig Friedrich Persius (1803–1845), comme directeur des travaux et de Peter Josef Lenné (1789–1866), comme créateur des jardins. Le palais de Glienicke était une commande du prince Charles, frère du futur roi Frédéric Guillaume IV, et fut érigé entre 1824 et 1827. Le bâtiment principal se compose de deux étages flanqués de deux ailes et d'un petit portique marquant l'accès à l'édifice. Le cheminement depuis l'entrée est interrompu par la Fontaine aux Lions et aucun axe évident ne domine l'organisation de l'espace devant le palais. Ce jeu de perspectives obliques et de chemins ondulants fut utilisé pour tout l'ensemble par Schinkel et Lenné, très influencés par l'esthétique pittoresque. Le complexe accueille également de petites constructions, légèrement postérieures, ainsi un pavillon au nom de Große Neugierde (1835) ou le casino, une construction sur les rives du Havel, flanquée de deux magnifiques pergolas aidant à l'intégrer dans son cadre. Le sentier qui y conduit décrit une série de courbes offrant différents angles de vue au visiteur.

Schinkel costruì diversi palazzi per la famiglia reale e per la nobiltà prussiana. Con Schinkel collaborarono il suo allievo Ludwig Friedrich Persius (1803–1845) come direttore dei lavori, e Peter Josef Lenné (1789–1866) come progettista dei giardini. Il castello di Glienicke, commissionato dal principe Carlo, fratello del futuro re Federico Guglielmo IV, venne edificato tra il 1824 e il 1827. L'edificio principale è costituito da due piani con ali laterali ed un piccolo porticato che rappresenta l'ingresso dell'edificio. Lungo il cammino verso l'ingresso si trova la fontana dei Leoni e la zona di fronte al palazzo è privo di un nucleo chiaro che organizzi lo spazio. Questo gioco di prospettive oblique e di viali sinuosi venne impiegato in tutto il complesso da Schinkel e da Lenné, molto influenzati dall'estetica pittoresca. Il complesso ospita anche delle piccole costruzioni di poco successive, come un gazebo noto con il nome di Große Neugierde (1835) e il casinò, un edificio sulle sponde dell'Havel affiancato da due splendidi pergolati che lo integrano nell'ambiente circostante. Il sentiero che conduce fino a esso descrive una serie di curve che offrono diversi punti di osservazione al visitatore.

Charlottenhof Castle

Charlottenhof Park, Potsdam, Germany
1826–1827

Charlottenhof is a complex close to the Sanssouci Royal Palace that Schinkel started refurbishing for Crown Prince Friedrich Wilhelm IV in 1826. The main palace is a rough reworking of an 18th century country house. The main façade, bounded by expansive gardens, faces west, while the east façade, with a Doric portico, opens onto a terrace; a long pergola on the southern side links the building to a small open summerhouse. As in all Potsdam's palaces, the views form an essential part of a whole, with elements such as fountains, certain trees or small groups of sculptures molding the landscape, and these views can be enjoyed from both the large terrace and the rooms. Schinkel also designed the gardener's house and the Roman baths embedded to the northwest of the palace. The former reflects the fashion for Italian-style houses with no clear symmetrical axes. Particularly worthy of note is the small tower that dominates the complex and the gradation of volumes, which, along with the pergolas and the different levels of the terraces surrounding the building, integrate it into its natural setting.

Charlottenhof ist ein Ensemble mehrerer Gebäude im südlichen Teil des Parks von Sanssouci, den Schinkel ab 1826 für den Kronprinz und späteren König Friedrich Wilhelm IV. umgestaltete. Das Hauptgebäude ist ein umgebautes Landhaus des 18. Jahrhunderts, das sich inmitten einer ausgedehnten Gartenanlage befindet. Die Eingangsfassade liegt nach Westen; vor der Ostfassade mit ihrem schlichten dorischen Portikus erstreckt sich eine Terrasse, auf deren Südseite eine lange Pergola zu einem kleinen offenen Pavillon führt. Wie bei allen Potsdamer Schlössern werden Blickbeziehungen und Sichtachsen als ein wesentliches Element zur Gestaltung der Landschaft genutzt. Von der Terrasse aus, aber auch aus den Zimmern lassen sich Brunnen, Standbilder oder ausgewählte Bäume entdecken. Schinkel entwarf auch das Gärtnerhaus und die römischen Bäder, die in nordwestlicher Richtung liegen. Das Gärtnerhaus, bei dem auf die Symmetrieachse verzichtet wurde, steht für die damals herrschende Italienmode. Das Ensemble wird von einem kleinen Turm überragt und setzt sich aus mehreren Einzelgebäuden zusammen, die über Pergolen und Terrassen miteinander verbunden sind und sich in die umgebende Landschaft einfügen.

Charlottenhof est un complexe proche du palais royal de Sanssouci que Schinkel réforma pour le dauphin Frédéric Guillaume IV à partir de 1826. Le palais principal est une réforme grossière d'une maison de campagne du XVIIIème siècle. Située entre d'amples jardins, la façade principale est orientée vers l'ouest et la façade est, dotée d'un portique dorique, s'ouvre sur une terrasse ; une grande pergola à son côté fait communiquer le bâtiment avec un petit kiosque découvert. Comme dans tous les palais de Potsdam, les perspectives et les vues sont une part essentielle d'un ensemble dont les éléments dessinent le paysage et sont perçus autant depuis la grande terrasse que depuis les pièces, qu'il s'agisse de jets d'eau, de petits groupes de sculptures voire d'arbres. Schinkel conçut également la maison du Jardinier et les bains romains, enclavés au nord-est du palais. La maison du Jardinier reflète la mode des demeures de style italien, dépourvues d'axes de symétrie clairs. Se détache la petite tour dominant l'ensemble et la gradation des volumes qui, avec les pergolas et les différents niveaux des terrasses l'entourant, arrivent à intégrer l'édifice dans son cadre naturel.

Charlottenhof è un complesso situato vicino al palazzo reale di Sanssouci che Schinkel ristrutturò per il principe ereditario Federico Guglielmo IV a partire dal 1826. Il palazzo principale è una vasta ristrutturazione di una villa di campagna del XVIII° secolo. Situata in un grande giardino, la facciata principale è rivolta verso ovest, mentre la facciata est, con un porticato dorico, si apre su una terrazza; un lungo pergolato sul lato sud mette in comunicazione l'edificio con un piccolo gazebo scoperto. Come in tutti i palazzi di Potsdam, le prospettive e le vedute sono parte di un insieme i cui elementi organizzano il paesaggio circostante e si possono osservare, sia dalla grande terrazza sia dalle stanze, getti d'acqua, piccoli gruppi scultorei e perfino alberi. Schinkel progettò anche la casa del giardiniere e i bagni romani, situati a nord-ovest del palazzo. La casa del giardiniere riflette la moda in voga delle abitazioni in stile italiano, prive di un chiaro nucleo. Spicca la piccola torre che domina l'insieme e la gradazione dei volumi che, insieme ai pergolati e alle terrazze su diversi livelli che lo circondano, integrano l'edificio nel suo ambiente naturale.

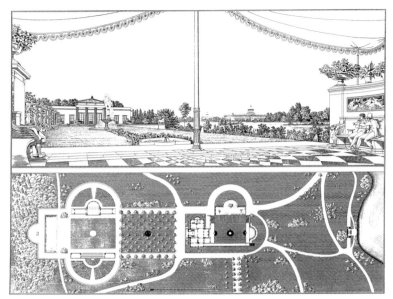

Plan   **Grundriss**
Niveau   **Pianta**

0   5   10

Cape Arcona Lighthouse

Nationalpark Vorpommersche Boddenlandschaft,
Arcona, Rügen, Germany
1825–1827

The Cape Arcona lighthouse was commissioned by the Royal Superior Technical Commission of Works under the supervision of Minister Günter, who had visited Arcona in 1825 and marked its position. The lighthouse owes its square shape to the need to reduce costs, as the building also contained the lighthouse keeper's living quarters. Schinkel, accustomed to working with the penny-pinching of Prussian civil servants, easily adapted to Günter's scheme. The arrangement of the wall appears simple: three identical superimposed masses separated by cornices and topped off with a lamp. The unity of the material—red brick—helps to homogenize the project into one single monolithic volume. The pattern of three large openings is repeated on all the floors, which means that the windows only have to be opened when necessary and the continuity of the module remains unbroken. These openings also cut through the thick wall to create vertical strips that recur on each floor, signaling the vertical thrust of the building without having to resort to the classical repertoire of pilasters and pillars.

Die Planung für den Leuchtturm von Kap Arkona lag in den Händen der Königlichen Oberbaudiputation. Günter hatte die Insel im Jahre 1825 bereist und den Standort des Leuchtturms am Kap Arkona bestimmt. Der quadratische Grundriss erklärt sich aus Kostengründen, denn der Turm sollte auch die Wohnung des Leuchtturmwärters aufnehmen. Da Schinkel seit langem an die von der preußischen Finanzverwaltung vorgegebenen begrenzten Kostenrahmen gewöhnt war, fiel es ihm nicht schwer, diese Vorgaben des königlichen Rats zu erfüllen. Der sich nach oben leicht verjüngende Bau aus rotem Backstein ist durch umlaufende Kranzgesimse in drei gleich hohe Abschnitte gegliedert, auf dem obersten erhebt sich die gläserne Laterne. In allen drei Geschossen sind je drei Rahmen vorgegeben, die an den entsprechenden Stellen gegebenenfalls als Fenster genutzt werden können, ohne dass die Einheit der Gestaltung dadurch verändert wird. Diese Rahmen lockern die massive Wand auf und verstärken die aufstrebende Tendenz des Turms, ohne dass Schinkel dazu auf die Säulen oder Pilaster des klassischen Formenrepertoires zurückgreifen musste.

Le projet de phare du cap d'Arcona relevait de la Commission supérieure technique royale des travaux publics et fut dirigé par le conseiller Günter, qui avait visité Arcona en 1825 et marqué son emplacement. Le phare doit sa forme carrée à l'impératif de réduction des coûts, la construction hébergeant également la demeure du gardien du phare. Schinkel, habitué à travailler avec une économie de moyens dans le milieu des fonctionnaires prussiens, accepta facilement cette idée de Günter. L'organisation du mur semble simple : trois corps identiques se superposant, séparés uniquement par des corniches avec une lanterne surplombant le tout. L'unité du matériau – la brique rouge – aide à homogénéiser l'œuvre en un seul volume monolithique. À chaque niveau se répète la distribution des trois volumes aveugles, une solution permettant d'ouvrir des fenêtres uniquement là où elles se révèlent nécessaires, sans rompre la répétition du module. À leur tour, les volumes découpent le mur massif et laissent des franges verticales se répétant à chaque niveau, afin de marquer l'effort vertical de l'édifice sans devoir recourir au répertoire classique des pilastres ou colonnes.

Il progetto del faro di capo Arcona, del quale si incaricava la Commissione Reale Superiore Tecnica delle Opere, venne diretto dal consigliere Günter che si era recato ad Arcona nel 1825 e ne aveva fissato l'ubicazione. Il faro deve a sua forma quadrata al bisogno di ridurre i costi, giacchè la costruzione ospita anche l'abitazione del guardiano. Schinkel, abituato a lavorare sempre con le poche risorse offertegli dai funzionari prussiani, si adattò facilmente al progetto di Günter. La distribuzione del muro è semplice: tre corpi identici sovrapposti e divisi solo da cornicioni, sormontati solo da una lanterna. L'omogeneità del materiale usato – mattoni rossicci – contribuì a uniformare l'opera come un unico volume monolitico. In tutti i piani si ripete lo schema di tre grandi vani ciechi, soluzione che consente di aprire finestre unicamente dove ce n'è bisogno senza interrompere la ripetizione del modulo. I vani a loro volta si ritagliano nel muro massiccio e lasciano delle frange verticali che si ripetono in ogni piano, marcando le linee verticali dell'edificio senza bisogno di ricorrere al repertorio classico di piloni e colonne.

Saint Nicholas of Potsdam

Am Kanal, Potsdam, Germany
1830–1849

The old church of Saint Nicholas was destroyed in a fire in 1795. The drain on the royal coffers caused by the Napoleonic Wars made any reconstruction impossible until 1826. Schinkel was commissioned to build a large religious temple, the type of building most appreciated at the time. Although the project was fairly modest in scale, it revolved around a large dome that serves as a reference point for the city. It is the main element, as it rises from an almost cubical mass, from which only the main portico and the two large thermal windows on the sides are allowed to protrude. Inside, the axis of the principal altar is boldly defined and dominates the setting, not only because it is the only space with elaborate decoration but also because it is the highest. The pulpit between the altar and the nave, with reliefs by August Kiss, is very distinctive and dynamic, despite its square forms. The building was completed by L. Persius and F. A. Stüler between 1843 and 1849, who added the four towers to enhance the structure's solidity.

Die alte Potsdamer Nikolaikirche war im Jahre 1795 bei einem Brand zerstört worden, doch da die Staatskasse wegen der Befreiungskriege leer war, konnte erst 1826 mit dem Neubau begonnen werden. Die Errichtung eines großen Gotteshauses gehörte zu den begehrtesten Bauaufgaben der damaligen Zeit, sodass der Auftrag für Schinkel von großer Bedeutung war. Der endgültige Entwurf betont die angesichts der sonst eher bescheidenen Ausmaße des Bauwerks sehr große Kuppel, die als Wahrzeichen der Stadt gedacht war. Sie erhebt sich über einem fast würfelförmigen Baukörper, der große halbrunde Fenster an den Seiten und eine Säulenvorhalle über dem Eingang an der Vorderseite aufweist. Das Innere wird von der Mittelachse sowie dem Altar als dem höchsten und am reichsten verzierten Element beherrscht. Die zwischen Altar und Mittelachse stehende Kanzel mit Reliefs von August Kiss ist trotz der rechteckigen Formen von großer Dynamik. L. Persius und F. A. Stüler vollendeten die Kirche zwischen 1843 und 1849 und fügten dabei die vier quadratischen Ecktürmchen hinzu, um die Statik des Baus zu verbessern.

L'ancienne église de Saint Nicolas de Potsdam fut détruite par un incendie en 1795. L'état des arches royales, résultant des guerres napoléoniennes, empêcha sa reconstruction jusqu'en 1826. Pour Schinkel, qui fut chargé de la mission, s'imposa l'érection d'un grand temple religieux, le type de construction le plus apprécié de son époque. Bien que de dimensions relativement modestes, le projet final de Schinkel gravite autour d'une grande coupole. Elle s'érige comme point de référence de la ville et constitue l'élément principal de l'édifice. Elle se dresse, en effet, sur un corps presque cubique duquel dépassent uniquement les deux grandes fenêtres thermales de ses côtés et le portique principal. À l'intérieur, l'axe de l'autel principal est clair et domine l'ensemble, tant du fait qu'il est l'unique espace offrant une décoration luxuriante comme pour sa hauteur imposante. La chaire, comptant des reliefs d'August Kiss, est une pièce singulière située entre l'autel et la nef, très dynamique en dépit de ses formes carrées. L'édifice fut terminé par L. Persius et F. A. Stüler entre 1843 et 1849, qui ajoutaient les quatre tours carrées des angles afin de conférer un surcroît de stabilité à sa structure.

L'antica chiesa di San Nicola di Potsdam fu distrutta in un incendio nell'anno 1795. Lo stato in cui si trovavano le finanze reali a causa delle guerre napoleoniche non ne consentì la ricostruzione fino al 1826. Schinkel, a cui venne affidato l'incarico, edificò un grande tempio religioso, il tipo di costruzione più apprezzata nella società della sua epoca. Anche se di dimensioni relativamente modeste, il progetto finale fu incentrato intorno a una grande cupola che si erge come un punto di riferimento della città e che costituisce l'elemento principale dell'edificio, giacchè si innalza su un corpo quasi cubico dal quale sporgono le due grandi finestre termali ai lati e il porticato principale. All'interno, l'asse dell'altare maggiore è chiaro e domina l'insieme sia perchè è l'unico spazio con un'esuberante decorazione sia perchè è il più alto. Il pulpito, con rilievi di August Kiss, è un'opera singolare situata tra l'altare e la navata, molto dinamica nonostante la forma quadrata. L'edificio fu portato a termine dal L. Persius e F. A. Stüler, tra il 1843 e il 1849, che aggiunse le quattro torri quadrate degli angoli dell'edificio per conferire una maggiore solidità alla struttura.

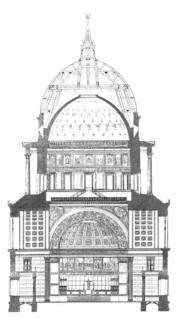

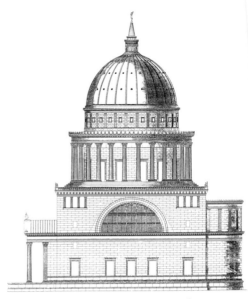

Section **Schnitt**
Section **Sezione**

Elevation **Aufriss**
Élévation **Prospetto**

0   5   10

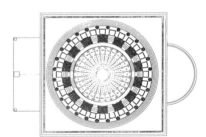

First floor   **Erstes Obergeschoss**
Premier étage   **Piano primo**

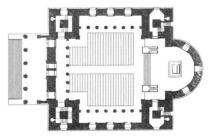

Ground floor   **Erdgeschoss**
Rez-de-chaussée   **Piano terra**

0   5   10

Chronology of Schinkel's works

compiled by Susan M. Peik and Stephen Lauf

1781	Birth on March 13 in Neuruppin, Germany.
1792–1794	He studied in Neuruppin Liceum, Germany.
1800	Pomona Temple, Potsdam, Germany.
1802–1805	Steinmeyer House, Friedrichstraße, Berlin, Germany. (Not conserved.)
1810	Mausoleum of Queen Louise, Berlin, Germany; in collaboration with H. Gentz.
1812–1840	Ehrenburg Castle, Coburg, Germany.
1816–1818	Neue Wache, Berlin, Germany.
1816–1820	Cathedral (remodeling), Lustgarten, Berlin, Germany. (Not conserved.)
1817	Monument to the Fallen, Großbeeren, Germany.
1819	Neue Wilhelmstraße, Berlin, Germany. (Not conserved.)
1818–1821	Schauspielhaus, Gendarmenmarkt, Berlin, Germany.
1821–1830	Friedrich Werdersche Kirche, Berlin, Germany.
1821–1824	Tegel Castle (remodeling), Berlin, Germany.
1822	Monument to Friedrich the Great, Berlin, Germany. (Unexecuted project.)
1822–1824	Schlossbrücke, Berlin, Germany.
1822–1825	Schauspielhaus (plans later revised), Aachen, Germany.
1824–1830	Altes Museum, Lustgarten, Berlin, Germany.
1823	Arts and Crafts School (remodeling), Berlin, Germany.
1824–1825	New Pavilion (now Schinkel-Pavillon), Berlin, Germany.
1824–1827	Glienicke Castle, Berlin, Germany.
1825	Lusthaus, Germany.
1825–1827	Lighthouse, Arcona, Rügen, Germany.
	Theater, Hamburg, Germany.
1826–1827	Charlottenhof Castle (remodeling), Sanssouci Park, Potsdam, Germany.

1827	Royal Chapel (Königliches Palais), Berlin, Germany.
1828–1829	Feilner House, Berlin, Germany. (Not conserved.)
1830–1837	Saint Nicholas of Potsdam (turrets not Schinkel's design), Potsdam, Germany.
1831–1836	Leipzig University (main building), Leipzig, Germany.
	Bauakademie, Berlin, Germany. (Not conserved.)
1832–1834	Nazareth Church (altered and rebuilt), Wedding, Berlin, Germany.
1832–1835	Observatory, Berlin, Germany. (Not conserved.)
1833–1840	Römische Bäder, Charlottenhof Castle, Charlottenhof Park, Potsdam, Germany.
1834	Palace for the Acropolis, Athens, Greece. (Unexecuted project.)
1838	Palace at Orianda, Crimea. (Unexecuted project.)
1838–1840	Kamenz Castle, Silesia, Poland.
1840–1845	Town Hall, Zittau, Germany.
1839	His health became bad.
1841	Died October 9 in Berlin, Germany.

Drawings: Sammlung Architektonischer Entwurf, Berlín, 1832